L'Avare

Molière

L'Avare

ACTE PREMIER

Scène première. Valère, Élise.

Valère

Hé quoi ! charmante Élise, vous devenez mélancolique, après les obligeantes assurances que vous avez eu la bonté de me donner de votre foi ? Je vous vois soupirer, hélas ! au milieu de ma joie ! Estce du regret, ditesmoi, de m'avoir fait heureux ? et vous repentezvous de cet engagement où mes feux ont pu vous contraindre ?

Élise

Non, Valère, je ne puis pas me repentir de tout ce que je fais pour vous. Je m'y sens entraîner par une trop douce puissance, et je n'ai pas même la force de souhaiter que les choses ne fussent pas. Mais, a vous dire vrai, le succès me donne de l'inquiétude ; et je crains fort de vous aimer un peu plus que je ne devrais.

Valère

Eh ! que pouvezvous craindre, Élise, dans les bontés que vous avez pour moi ?

Élise

Hélas ! cent choses à la fois : l'emportement d'un père, les reproches d'une famille, les censures du monde ; mais plus que tout, Valère, le changement de votre coeur, et cette froideur criminelle dont ceux de votre sexe payent le plus souvent les témoignages trop ardents d'un innocent amour.

Valère

Ah ! ne me faites pas ce tort, de juger de moi par les autres ! Soupçonnezmoi de tout, Élise, plutôt que de manquer à ce que je vous dois. Je vous aime trop pour cela ; et mon amour pour vous durera autant que ma vie.

Élise

Ah ! Valère, chacun tient les mêmes discours ! Tous les hommes sont semblables par les paroles ; et ce n'est que les actions qui les découvrent différents.

Valère

Puisque les seules actions font connaître ce que nous sommes, attendez donc, au moins, à juger de mon coeur par elles, et ne me cherchez point des crimes dans les injustes craintes d'une fâcheuse prévoyance. Ne m'assassinez point, je vous prie, par les sensibles coups d'un soupçon outrageux ; et donnezmoi le temps de vous convaincre, par mille et mille preuves, de l'honnêteté de mes feux.

Élise

Hélas ! qu'avec facilité on se laisse persuader par les personnes que l'on aime ! Oui, Valère, je tiens votre coeur incapable de m'abuser. Je crois que vous m'aimez d'un véritable amour, et que vous me serez fidèle : je n'en veux point du tout douter, et je retranche mon chagrin aux appréhensions du blâme qu'on pourra me donner.

Valère

Mais pourquoi cette inquiétude ?

Élise

Je n'aurais rien à craindre si tout le monde vous voyait des yeux dont je vous vois ; et je trouve en votre personne de quoi avoir raison aux choses que je fais pour vous. Mon coeur, pour sa défense, a tout votre mérite, appuyé du secours d'une reconnaissance où le ciel m'engage envers vous. Je me représente à toute heure ce péril étonnant qui commença de nous offrir aux regards l'un de l'autre ; cette générosité surprenante qui vous fit risquer votre vie, pour dérober la mienne à la fureur des ondes ; ces soins pleins de tendresse que vous me fîtes éclater après m'avoir tirée de l'eau, et les hommages assidus de cet ardent amour que ni le temps ni les difficultés n'ont rebuté, et qui, vous faisant négliger et parents et patrie, arrête vos pas en ces lieux, y tient en ma faveur votre fortune déguisée, et vous a réduit, pour me voir, à vous revêtir de l'emploi de domestique de mon père. Tout cela fait chez moi, sans doute, un merveilleux effet ; et c'en est assez, à mes yeux, pour me justifier l'engagement où j'ai pu consentir ; mais ce n'est pas assez peutêtre pour le justifier aux autres, et je ne suis pas sûre qu'on entre dans mes sentiments.

Valère

De tout ce que vous avez dit, ce n'est que par mon seul amour que je prétends auprès de vous mériter quelque chose ; et quant aux scrupules que vous avez, votre père luimême ne prend que trop de soin de vous justifier à tout le monde, et l'excès de son avarice, et la manière austère dont il vit avec ses enfants, pourraient autoriser des choses plus étranges. Pardonnezmoi, charmante Élise, si j'en parle ainsi devant vous. Vous savez que, sur ce chapitre, on n'en peut pas dire de bien. Mais enfin, si je puis, comme je l'espère, retrouver mes parents, nous n'aurons pas beaucoup de peine à nous les rendre favorables. J'en attends des nouvelles avec impatience, et j'en irai chercher moimême, si elles tardent à venir.

Élise

Ah! Valère, ne bougez d'ici, je vous prie, et songez seulement à vous bien mettre dans l'esprit de mon père.

Valère

Vous voyez comme je m'y prends, et les adroites complaisances qu'il m'a fallu mettre en usage pour m'introduire à son service ; sous quel masque de sympathie et de rapports de sentiments je me déguise pour lui plaire, et quel personnage je joue tous les jours avec lui, afin d'acquérir sa tendresse. J'y fais des progrès admirables ; et j'éprouve que, pour gagner les hommes, il n'est point de meilleure voie que de se parer à leurs yeux de leurs inclinations, que de donner dans leurs maximes, encenser leurs défauts, et applaudir à ce qu'ils font. On n'a que faire d'avoir peur de trop charger la complaisance ; et la manière dont on les joue a beau être visible, les plus fins toujours sont de grandes dupes du côté de la flatterie, et il n'y a rien de si impertinent et de si ridicule qu'on ne fasse avaler, lorsqu'on l'assaisonne en louanges. La sincérité souffre un peu au métier que je fais ; mais, quand on a besoin des hommes, il faut bien s'ajuster à eux, et puisqu'on ne saurait les gagner que par là, ce n'est pas la faute de ceux qui flattent, mais de ceux qui veulent être flattés.

Élise

Mais que ne tâchezvous aussi de gagner l'appui de mon frère, en cas que la servante s'avisât de révéler notre secret ?

Valère

On ne peut pas ménager l'un et l'autre ; et l'esprit du père et celui du fils sont des choses si opposées, qu'il est difficile d'accommoder ces deux confidences ensemble. Mais vous, de votre part, agissez auprès de votre frère, et servezvous de l'amitié qui est entre vous deux pour le jeter dans nos intérêts. Il vient. Je me retire. Prenez ce temps pour lui parler, et ne lui découvrez de notre affaire que ce que vous jugerez à propos.

Élise

Je ne sais si j'aurai la force de lui faire cette confidence.

Scène II. Cléante, Élise.

Cléante

Je suis bien aise de vous trouver seule, ma soeur ; et je brûlais de vous parler, pour m'ouvrir à vous d'un secret.

Élise

Me voilà prête à vous ouïr, mon frère. Qu'avezvous à me dire ?

Cléante

Bien des choses, ma soeur, enveloppées dans un mot. J'aime.

Élise

Vous aimez ?

Cléante

Oui, j'aime. Mais, avant que d'aller plus loin, je sais que je dépends d'un père, et que le nom de fils me soumet à ses volontés ; que nous ne devons point engager notre foi sans le consentement de ceux dont nous tenons le jour ; que le ciel les a faits les maîtres de nos voeux, et qu'il nous est enjoint de n'en disposer que par leur conduite ; que, n'étant prévenus d'aucune folle ardeur, ils sont en état de se tromper bien moins que nous et de voir beaucoup mieux ce qui nous est propre ; qu'il en faut plutôt croire les lumières de leur prudence que l'aveuglement de notre passion ; et que l'emportement de la jeunesse nous entraîne le plus souvent dans des précipices fâcheux. Je vous dis tout cela, ma soeur, afin que vous ne vous donniez pas la peine de me le dire ? car enfin mon amour ne veut rien écouter, et je vous prie de ne me point faire de remontrances.

Élise

Vous êtesvous engagé, mon frère, avec celle que vous aimez ?

Cléante

Non ; mais j'y suis résolu, et je vous conjure encore une fois de ne me point apporter de raisons pour m'en dissuader.

Élise

Suisje, mon frère, une si étrange personne ?

Cléante

Non, ma soeur ; mais vous n'aimez pas ; vous ignorez la douce violence qu'un tendre amour fait sur nos coeurs, et j'appréhende votre sagesse.

Élise

Hélas ! mon frère, ne parlons point de ma sagesse : il n'est personne qui n'en manque, du moins une fois en sa vie ; et, si je vous ouvre mon coeur, peutêtre seraije à vos yeux bien moins sage que vous.

Cléante

Ah ! plût au ciel que votre âme, comme la mienne... !

Élise

Finissons auparavant votre affaire, et me dites qui est celle que vous aimez.

Cléante

Une jeune personne qui loge depuis peu en ces quartiers, et qui semble être faite pour donner de l'amour à tous ceux qui la voient. La nature, ma soeur, n'a rien formé de plus aimable ; et je me sentis transporté dès le moment que je la vis. Elle se nomme Mariane, et vit sous la conduite d'une bonne femme de mère qui est presque toujours malade, et pour qui cette aimable fille a des sentiments d'amitié qui ne sont pas imaginables. Elle la sert, la plaint et la console, avec une tendresse qui vous toucherait l'âme. Elle se prend d'un air le plus charmant du monde aux choses qu'elle fait ; et l'on voit briller mille grâces en toutes ses actions, une douceur pleine d'attraits, une bonté toute engageante, une honnêteté adorable, une... Ah ! ma soeur, je voudrais que vous l'eussiez vue !

Élise

J'en vois beaucoup, mon frère, dans les choses que vous me dites ; et, pour comprendre ce qu'elle est, il me suffit que vous l'aimez.

Cléante

J'ai découvert sous main qu'elles ne sont pas fort accommodées , et que leur discrète conduite a de la peine à étendre à tous leurs besoins le bien qu'elles peuvent avoir. Figurezvous, ma soeur, quelle joie ce peut être que de relever la fortune d'une personne que l'on aime ; que de donner adroitement quelques petits secours aux modestes nécessités d'une vertueuse famille ; et concevez quel déplaisir ce m'est de voir que, par l'avarice d'un père, je sois dans l'impuissance de goûter cette joie, et de faire éclater à cette belle aucun témoignage de mon amour.

Élise

Oui, je conçois assez, mon frère, quel doit être votre chagrin.

Cléante

Ah ! ma soeur, il est plus grand qu'on ne peut croire. Car, enfin, peuton rien voir de plus cruel que cette rigoureuse épargne qu'on exerce sur nous, que cette sécheresse étrange où l'on nous fait languir ? Hé ! que nous servira d'avoir du bien, s'il ne nous vient que dans le temps que nous ne serons plus dans le bel âge d'en jouir, et si, pour m'entretenir même, il faut que maintenant je m'engage de tous côtés ; si je suis réduit avec vous à chercher tous les jours le secours des marchands, pour avoir moyen de porter des habits raisonnables ? Enfin, j'ai voulu vous parler pour m'aider à sonder mon père sur les sentiments où je suis ; et, si je l'y trouve contraire, j'ai résolu d'aller en d'autres lieux, avec cette aimable personne, jouir de la fortune que le ciel voudra nous offrir. Je fais chercher partout, pour ce dessein, de l'argent à emprunter ; et, si vos affaires, ma soeur, sont semblables aux miennes, et qu'il faille que notre père s'oppose à nos désirs, nous le quitterons là tous deux, et nous affranchirons de cette tyrannie où nous tient depuis si longtemps son avarice insupportable.

Élise

Il est bien vrai que tous les jours il nous donne de plus en plus sujet de regretter la mort de notre mère, et que...

Cléante

J'entends sa voix. Eloignonsnous un peu pour achever notre confidence ; et nous joindrons après nos forces pour venir attaquer la dureté de son humeur.

Scène III. Harpagon, La Flèche.

Harpagon

Hors d'ici tout à l'heure, et qu'on ne réplique pas. Allons, que l'on détale de chez moi, maître juré filou, vrai gibier de potence !

La Flèche

à part.

Je n'ai jamais rien vu de si méchant que ce maudit vieillard, et je pense, sauf correction, qu'il a le diable au corps.

Harpagon

Tu murmures entre tes dents ?

La Flèche

Pourquoi me chassezvous ?

Harpagon

C'est bien à toi, pendard, à me demander des raisons ! Sors vite, que je ne t'assomme.

La Flèche

Qu'estce que je vous ai fait ?

Harpagon

Tu m'as fait que je veux que tu sortes.

La Flèche

Mon maître, votre fils, m'a donné ordre de l'attendre.

Harpagon

Vat'en l'attendre dans la rue, et ne sois point dans ma maison, planté tout droit comme un piquet à observer ce qui se passe, et faire ton profit de tout. Je ne veux point avoir sans cesse devant moi un espion de mes affaires, un traître dont les yeux maudits assiègent toutes mes actions, dévorent ce que je possède, et furettent de tous côtés pour voir s'il n'y a rien à voler.

La Flèche

Comment diantre voulezvous qu'on fasse pour vous voler ? Êtesvous un homme volable, quand vous renfermez toutes choses, et faites sentinelle jour et nuit ?

Harpagon

Je veux renfermer ce que bon me semble, et faire sentinelle comme il me plaît. Ne voilà pas de mes mouchards , qui prennent garde à ce qu'on fait ?

Bas, à part.

Je tremble qu'il n'ait soupçonné quelque chose de mon argent.

Haut.

Ne seraistu point homme à aller faire courir le bruit que j'ai chez moi de l'argent caché ?

La Flèche

Vous avez de l'argent caché ?

Harpagon

Non, coquin, je ne dis pas cela.

Bas.

J'enrage !

Haut.

Je demande si, malicieusement, tu n'irais point faire courir le bruit que j'en ai.

La Flèche

Hé ! que nous importe que vous en ayez, ou que vous n'en ayez pas, si c'est pour nous la même chose ?

Harpagon

levant la main pour donner un soufflet à la Flèche.

Tu fais le raisonneur ! Je te baillerai de ce raisonnementci par les oreilles. Sors d'ici, encore une fois.

La Flèche

Eh bien, je sors.

Harpagon

Attends : ne m'emportestu rien ?

La Flèche

Que vous emporteraisje ?

Harpagon

Tiens, viens çà, que je voie. Montremoi tes mains.

La Flèche

Les voilà.

Harpagon

Les autres.

La Flèche

Les autres ?

Harpagon

Oui.

La Flèche

Les voilà.

Harpagon

montrant les hautsdechausses de la Flèche.

N'astu rien mis ici dedans ?

La Flèche

Voyez vousmême.

Harpagon

tâtant le bas des hautsdechausses de la Flèche.

Ces grands hautsdechausses sont propres à devenir les recéleurs des choses qu'on dérobe ; et je voudrais qu'on en eût fait pendre quelqu'un.

La Flèche

à part.

Ah ! qu'un homme comme cela mériterait bien ce qu'il craint ! Et que j'aurais de joie à la voler !

Harpagon

Euh ?

La Flèche

Quoi ?

Harpagon

Qu'estce que tu parles de voler ?

La Flèche

Je vous dis que vous fouillez bien partout, pour voir si je vous ai volé.

Harpagon

C'est ce que je veux faire.

Harpagon fouille dans les poches de La Flèche.

La Flèche

à part.

La peste soit de l'avarice et des avaricieux !

Harpagon

Comment ? que distu ?

La Flèche

Ce que je dis ?

Harpagon

Oui. Qu'estce que tu dis d'avarice et d'avaricieux ?

La Flèche

Je dis que la peste soit de l'avarice et des avaricieux !

Harpagon

De qui veuxtu parler ?

La Flèche

Des avaricieux.

Harpagon

Et qui sontils, ces avaricieux ?

La Flèche

Des vilains et des ladres.

Harpagon

Mais qui estce que tu entends par là ?

La Flèche

De quoi vous mettezvous en peine ?

Harpagon

Je me mets en peine de ce qu'il faut.

La Flèche

Estce que vous croyez que je veux parler de vous ?

Harpagon

Je crois ce que je crois ; mais je veux que tu me dises à qui tu parles quand tu dis cela.

La Flèche

Je parle... je parle à mon bonnet.

Harpagon

Et moi, je pourrais bien parler à ta barrette .

La Flèche

M'empêcherezvous de maudire les avaricieux ?

Harpagon

Non ; mais je t'empêcherai de jaser et d'être insolent. Taistoi.

La Flèche

Je ne nomme personne.

Harpagon

Je te rosserai si tu parles.

La Flèche

Qui se sent morveux, qu'il se mouche.

Harpagon

Te tairastu ?

La Flèche

Oui, malgré moi.

Harpagon

Ah ! Ah !

La Flèche

montrant à Harpagon une poches de son justaucorps.

Tenez, voilà encore une poche : êtesvous satisfait ?

Harpagon

Allons, rendslemoi sans te fouiller.

La Flèche

Quoi ?

Harpagon

Ce que tu m'as pris.

La Flèche

Je ne vous ai rien pris du tout.

Harpagon

Assurément ?

La Flèche

Assurément.

Harpagon

Adieu. Vaten à tous les diables !

La Flèche

Me voilà fort bien congédié.

Harpagon

Je te le mets sur ta conscience, au moins.

Scène IV. Harpagon.

Harpagon

Voilà un pendard de valet qui m'incommode fort ; et je ne me plais point à voir ce chien de boiteuxlà. Certes, ce n'est pas une petite peine que de garder chez soi une grande somme d'argent ; et bienheureux qui a tout son fait bien placé, et ne conserve seulement que ce qu'il faut pour sa dépense ! On n'est pas peu embarrassé à inventer, dans toute une maison, une cache fidèle ; car pour moi, les coffresforts me sont suspects, et je ne veux jamais m'y fier. Je les tiens justement une franche amorce à voleurs, et c'est toujours la première chose que l'on va attaquer.

Scène V.

Harpagon ; Élise et Cléante, parlant ensemble, et restant dans le fond du théâtre.

Harpagon

se croyant seul.

Cependant, je ne sais si j'aurai bien fait d'avoir enterré, dans mon jardin, dix mille écus qu'on me rendit hier. Dix mille écus en or, chez soi, est une somme assez...

À part, apercevant Élise et Cléante.

O ciel ! je me serai trahi moimême ! la chaleur m'aura emporté, et je crois que j'ai parlé haut, en raisonnant tout seul.

À Cléante et Élise.

Qu'estce ?

Cléante

Rien, mon père.

Harpagon

Y atil longtemps que vous êtes là ?

Élise

Nous ne venons que d'arriver.

Harpagon

Vous avez entendu...

Cléante

Quoi, mon père ?

Harpagon

Là...

Élise

Quoi ?

Harpagon

Ce que je viens de dire.

Cléante

Non.

Harpagon

Si fait, si fait.

Élise

Pardonnezmoi.

Harpagon

Je vois bien que vous en avez ouï quelques mots. C'est que je m'entretenais en moimême de la peine qu'il y a aujourd'hui à trouver de l'argent, et je disais qu'il est bien heureux qui peut avoir dix mille écus chez soi.

Cléante

Nous feignions à vous aborder, de peur de vous interrompre.

Harpagon

Je suis bien aise de vous dire cela, afin que vous n'alliez pas prendre les choses de travers, et vous imaginer que je dise que c'est moi qui ai dix mille écus.

Cléante

Nous n'entrons point dans vos affaires.

Harpagon

Plût à Dieu que je les eusse, dix mille écus !

Cléante

Je ne crois pas...

Harpagon

Ce serait une bonne affaire pour moi.

Élise

Ces sont des choses...

Harpagon

J'en aurais bon besoin.

Cléante

Je pense que...

Harpagon

Cela m'accommoderait fort.

Élise

Vous êtes...

Harpagon

Et je ne me plaindrais pas, comme je le fais, que le temps est misérable.

Cléante

Mon Dieu ! mon père, vous n'avez pas lieu de vous plaindre et l'on sait que vous avez assez de bien.

Harpagon

Comment, j'ai assez de bien ! Ceux qui le disent en ont menti. Il n'y a rien de plus faux ; et ce sont des coquins qui font courir tous ces bruitslà.

Élise

Ne vous mettez point en colère.

Harpagon

Cela est étrange que mes propres enfants me trahissent et deviennent mes ennemis.

Cléante

Estce être votre ennemi que de dire que vous avez du bien ?

Harpagon

Oui. De pareils discours, et les dépenses que vous faites, seront cause qu'un de ces jours on me viendra chez moi couper la gorge, dans la pensée que je suis tout cousu de pistoles.

Cléante

Quelle grande dépense estce que je fais ?

Harpagon

Quelle ? Estil rien de plus scandaleux que ce somptueux équipage que vous promenez par la ville ? Je querellais hier votre soeur ; mais c'est encore pis. Voilà qui crie vengeance au ciel ; et, à vous prendre depuis les pieds jusqu'à la tête, il y aurait là de quoi faire une bonne constitution. Je vous l'ai dit vingt fois, mon fils, toutes vos manières me déplaisent fort ; vous donnez furieusement dans le marquis ; et, pour aller ainsi vêtu, il faut bien que vous me dérobiez.

Cléante

Hé ! comment vous dérober ?

Harpagon

Que saisje ? Où pouvezvous donc prendre de quoi entretenir l'état que vous portez ?

Cléante

Moi, mon père ? C'est que je joue ; et, comme je suis fort heureux, je mets sur moi tout l'argent que je gagne.

Harpagon

C'est fort mal fait. Si vous êtes heureux au jeu, vous en devriez profiter, et mettre à honnête intérêt l'argent que vous gagnez, afin de le trouver un jour. Je voudrais bien savoir, sans parler du reste, à quoi servent tous ces rubans dont vous voilà lardé depuis les pieds jusqu'à la tête, et si une demidouzaine d'aiguillettes ne suffit pas pour attacher un hautdechausses. Il est bien nécessaire d'employer de l'argent à des perruques, lorsque l'on peut porter des cheveux de son cru, qui ne coûtent rien ! Je vais gager qu'en perruques et rubans il y a du moins vingt pistoles ; et vingt pistoles rapportent par année dixhuit livres six sols huit deniers, à ne les placer qu'au denier douze .

Cléante

Vous avez raison.

Harpagon

Laissons cela, et parlons d'autre affaire. Euh ?

Apercevant Cléante et Élise qui se font des signes.

Hé !

Bas, à part.

Je crois qu'ils se font signe l'un à l'autre de me voler ma bourse.

Haut.

Que veulent dire ces gesteslà ?

Élise

Nous marchandons, mon frère et moi, à qui parlera le premier, et nous avons tous deux quelque chose à vous dire.

Harpagon

Et moi, j'ai quelque chose aussi à vous dire à tous deux.

Cléante

C'est de mariage, mon père, que nous désirons vous parler.

Harpagon

Et c'est de mariage aussi que je veux vous entretenir.

Élise

Ah ! mon père !

Harpagon

Pourquoi ce cri ? Estce le mot, ma fille, ou la chose, qui vous fait peur ?

Cléante

Le mariage peut nous faire peur à tous deux, de la façon que vous pouvez l'entendre ; et nous craignons que nos sentiments ne soient pas d'accord avec votre choix.

Harpagon

Un peu de patience ; ne vous alarmez point. Je sais ce qu'il faut à tous deux, et vous n'aurez, ni l'un ni l'autre, aucun lieu de vous plaindre de tout ce que je prétends faire ; et, pour commencer par un bout,

À Cléante.

avezvous vu, ditesmoi, une jeune personne appelée Mariane, qui ne loge pas loin d'ici ?

Cléante

Oui, mon père.

Harpagon

Et vous ?

Élise

J'en ai ouï parler.

Harpagon

Comment, mon fils, trouvezvous cette fille ?

Cléante

Une fort charmante personne.

Harpagon

Sa physionomie ?

Cléante

Tout honnête et pleine d'esprit.

Harpagon

Son air et sa manière ?

Cléante

Admirables, sans doute.

Harpagon

Ne croyezvous pas qu'une fille comme cela mériterait assez que l'on songeât à elle ?

Cléante

Oui, mon père.

Harpagon

Que ce serait un parti souhaitable ?

Cléante

Très souhaitable.

Harpagon

Qu'elle a toute la mine de faire un bon ménage ?

Cléante

Sans doute.

Harpagon

Et qu'un mari aurait satisfaction avec elle ?

Cléante

Assurément.

Harpagon

Il y a une petite difficulté : c'est que j'ai peur qu'il n'y ait pas, avec elle, tout le bien qu'on pourrait prétendre.

Cléante

Ah ! mon père, le bien n'est pas considérable, lorsqu'il est question d'épouser une honnête personne.

Harpagon

Pardonnezmoi, pardonnezmoi. Mais ce qu'il y a à dire, c'est que, si l'on n'y trouve pas tout le bien qu'on souhaite, on peut tâcher de regagner cela sur autre chose.

Cléante

Cela s'entend.

Harpagon

Enfin je suis bien aise de vous voir dans mes sentiments ; car son maintien honnête et sa douceur m'ont gagné l'âme, et je suis résolu de l'épouser, pourvu que j'y trouve quelque bien.

Cléante

Euh ?

Harpagon

Comment ?

Cléante

Vous êtes résolu, ditesvous... ?

Harpagon

D'épouser Mariane.

Cléante

Qui ? Vous, vous ?

Harpagon

Oui, moi, moi, moi. Que veut dire cela ?

Cléante

Il m'a pris tout à coup un éblouissement, et je me retire d'ici.

Harpagon

Cela ne sera rien. Allez vite boire dans la cuisine un grand verre d'eau claire.

Scène VI. Harpagon, Élise.

Harpagon

Voilà de mes damoiseaux flouets , qui n'ont non plus de vigueur que des poules. C'est là, ma fille, ce que j'ai résolu pour moi. Quant à ton frère, je lui destine une certaine veuve dont, ce matin, on m'est venu parler ; et, pour toi, je te donne au seigneur Anselme.

Élise

Au seigneur Anselme ?

Harpagon

Oui, Un homme mûr, prudent et sage, qui n'a pas plus de cinquante ans, et dont on vante les grands biens.

Élise

faisant une révérence.

Je ne veux point me marier, mon père, s'il vous plaît.

Harpagon

contrefaisant Élise.

Et moi, ma petite fille, ma mie, je veux que vous vous mariiez, s'il vous plaît.

Élise

faisant encore la révérence.

Je vous demande pardon, mon père.

Harpagon

contrefaisant Élise.

Je vous demande pardon, ma fille.

Élise

Je suis très humble servante au seigneur Anselme ; mais,

Faisant encore la révérence.

avec votre permission, je ne l'épouserai point.

Harpagon

Je suis votre très humble valet ; mais,

Contrefaisant Élise.

avec votre permission, vous l'épouserez dès ce soir.

Élise

Dès ce soir ?

Harpagon

Dès ce soir.

Élise

faisant encore la révérence.

Cela ne sera pas, mon père.

Harpagon

contrefaisant encore Élise.

Cela sera, ma fille.

Élise

Non.

Harpagon

Si.

 Élise

Non, vous disje.

 Harpagon

Si, vous disje.

 Élise

C'est une chose où vous ne me réduirez point.

 Harpagon

C'est une chose où je te réduirai.

 Élise

Je me tuerai plutôt que d'épouser un tel mari.

 Harpagon

Tu ne te tueras point, et tu l'épouseras. Mais voyez quelle audace !
Aton jamais vu une fille parler de la sorte à son père ?
 Élise

Mais aton jamais vu un père marier sa fille de la sorte ?

 Harpagon

C'est un parti où il n'y a rien à redire ! et je gage que tout le monde approuvera mon choix.

 Élise

Et moi, je gage qu'il ne saurait être approuvé d'aucune personne raisonnable.

 Harpagon

apercevant Valère de loin.

Voilà Valère. Veux-tu qu'entre nous deux nous le fassions juge de cette affaire ?

Élise

J'y consens.

Harpagon

Te rendras-tu à son jugement ?

Élise

Oui. J'en passerai par ce qu'il dira.

Harpagon

Voilà qui est fait.

Scène VII.

Valère, Harpagon, Élise.

Harpagon

Ici, Valère. Nous t'avons élu pour nous dire qui a raison de ma fille ou de moi.

Valère

C'est vous, monsieur, sans contredit.

Harpagon

Saistu bien de quoi nous parlons ?

Valère

Non ; mais vous ne sauriez avoir tort, et vous êtes toute raison.

Harpagon

Je veux ce soir lui donner pour époux un homme aussi riche que sage ; et la coquine me dit au nez qu'elle se moque de le prendre. Que distu de cela ?

Valère

Ce que j'en dis ?

Harpagon

Oui.

Valère

Hé ! hé !

Harpagon

Quoi !

Valère

Je dis que, dans le fond, je suis de votre sentiment ; et vous ne pouvez pas que vous n'ayez raison . mais aussi n'atelle pas tort tout à fait, et...

Harpagon

Comment ? Le seigneur Anselme est un parti considérable ; c'est un gentilhomme qui est noble, doux, posé, sage et fort accommodé, et auquel il ne reste aucun enfant de son premier mariage. Sauraitelle mieux rencontrer ?

Valère

Cela est vrai. Mais elle pourrait vous dire que c'est un peu précipiter les choses, et qu'il faudrait au moins quelque temps pour voir si son inclination pourra s'accommoder avec...

Harpagon

C'est une occasion qu'il faut prendre vite aux cheveux. Je trouve ici un avantage qu'ailleurs je ne trouverais pas ; et il s'engage à la prendre sans dot.

Valère

Sans dot ?

Harpagon

Oui.

Valère

Ah ! je ne dis plus rien. Voyezvous ? voilà une raison tout à fait convaincante ; il se faut rendre à cela.

Harpagon

C'est pour moi une épargne considérable.

Valère

Assurément ; cela ne reçoit point de contradiction. Il est vrai que votre fille vous peut représenter que le mariage est une plus grande affaire qu'on ne peut croire ; qu'il y va d'être heureux ou malheureux toute sa vie ; et qu'un engagement qui doit durer jusqu'à la mort ne se doit jamais faire qu'avec de grandes précautions.

Harpagon

Sans dot !

Valère

Vous avez raison ! voilà qui décide tout ; cela s'entend. Il y a des gens qui pourraient vous dire qu'en de telles occasions l'inclination d'une fille est une chose, sans doute, où l'on doit avoir de l'égard ; et que cette grande inégalité d'âge, d'humeur et de sentiments, rend un mariage sujet à des accidents fâcheux.

Harpagon

Sans dot !

Valère

Ah ! il n'y a pas de réplique à cela ; on le sait bien ! Qui diantre peut aller là contre ? Ce n'est pas qu'il n'y ait quantité de pères qui aimeraient mieux ménager la satisfaction de leurs filles que l'argent qu'ils pourraient donner ; qui ne les voudraient point sacrifier à l'intérêt, et chercheraient, plus que toute autre chose, à mettre dans un mariage cette douce conformité qui sans cesse y maintient l'honneur, la tranquillité et la joie ; et que...

Harpagon

Sans dot !

Valère

Il est vrai ; cela ferme la bouche à tout. Sans dot ! Le moyen de résister à une raison comme cellelà !

Harpagon

à part, regardant du côté le jardin.

Ouais ! Il me semble que j'entends un chien qui aboie. N'estce point qu'on en voudrait à mon argent ?

A Valère.

Ne bougez, je reviens tout à l'heure.

Scène VIII.

Élise, Valère.

Élise

Vous moquezvous, Valère, de lui parler comme vous faites ?

Valère

C'est pour ne point l'aigrir, et pour en venir mieux à bout. Heurter de front ses sentiments est le moyen de tout gâter ; et il y a de certains esprits qu'il ne faut prendre qu'en biaisant ; des tempéraments ennemis de toute résistance ; des naturels rétifs, que la vérité fait cabrer, qui toujours se raidissent contre le droit chemin de la raison, et qu'on ne mène qu'en tournant où l'on veut les conduire. Faites semblant de consentir à ce qu'il veut, vous en viendrez mieux à vos fins, et...

Élise

Mais ce mariage, Valère !

Valère

On cherchera des biais pour le rompre.

Élise

Mais quelle invention trouver, s'il se doit conclure ce soir ?

Valère

Il faut demander un délai, et feindre quelque maladie.

Élise

Mais on découvrira la feinte, si l'on appelle des médecins.

Valère

Vous moquezvous ? Y connaissentils quelque chose ? Allez, allez, vous pourrez avec eux avoir quel mal il vous plaira, ils vous trouveront des raisons pour vous dire d'où cela vient.

Scène IX.

Harpagon, Valère, Élise.

Harpagon

à part, dans le fond du théâtre.

Ce n'est rien, Dieu merci.

Valère

sans voir Harpagon.

Enfin notre dernier recours, c'est que la fuite nous peut mettre à couvert de tout ; et, si votre amour, belle Élise, est capable d'une fermeté...

Apercevant Harpagon.

Oui, il faut qu'une fille obéisse à son père. Il ne faut point qu'elle regarde comme un mari est fait ; et lorsque la grande raison de "sans dot" s'y rencontre, elle doit être prête à prendre tout ce qu'on lui donne.

Harpagon

Bon : voilà bien parlé, cela !

Valère

Monsieur, je vous demande pardon si je m'emporte un peu, et prends la hardiesse de lui parler comme je fais.

Harpagon

Comment ! j'en suis ravi, et je veux que tu prennes sur elle un pouvoir absolu.

A Élise.

Oui, tu as beau fuir, je lui donne l'autorité que le ciel me donne sur toi, et j'entends que tu fasses tout ce qu'il te dira.

Valère

A Élise.

Après cela, résistez à mes remontrances.

Scène X.

Harpagon, Valère.

Valère

Monsieur, je vais la suivre, pour continuer les leçons que je lui faisais.

Harpagon

Oui, tu m'obligeras. Certes...

Valère

Il est bon de lui tenir un peu la bride haute.

Harpagon

Cela est vrai. Il faut...

Valère

Ne vous mettez pas en peine, je crois que j'en viendrai à bout.

Harpagon

Fais, fais. Je m'en vais faire un petit tour en ville, et reviens tout à l'heure.

Valère

adressant la parole à Élise, en s'en allant du côté par où elle est sortie.

Oui, l'argent est plus précieux que toutes les choses du monde, et vous devez rendre grâce au ciel de l'honnête homme de père qu'il vous a donné. Il sait ce que c'est que de vivre. Lorsqu'on s'offre de prendre une fille sans dot, on ne doit point regarder plus avant. Tout est renfermé làdedans ; et "sans dot" tient lieu de beauté, de jeunesse, de naissance, d'honneur, de sagesse, et de probité.

Harpagon

Ah ! le brave garçon ! Voilà parlé comme un oracle. Heureux qui peut avoir un domestique de la sorte !

ACTE SECOND.

Scène première. Cléante, La Flèche.

Cléante

Ah ! traître que tu es ! où t'estu donc allé fourrer ? Ne t'avaisje pas donné ordre... ?

La Flèche

Oui, Monsieur ; et je m'étais rendu ici pour vous attendre de pied ferme : mais monsieur votre père, le plus malgracieux des hommes, m'a chassé dehors malgré moi, et j'ai couru le risque d'être battu.

Cléante

Comment va notre affaire ? Les choses pressent plus que jamais ; et, depuis que je t'ai vu, j'ai découvert que mon père est mon rival.

La Flèche

Votre père amoureux ?

Cléante

Oui ; et j'ai eu toutes les peines du monde à lui cacher le trouble où cette nouvelle m'a mis.

La Flèche

Lui, se mêler d'aimer ! De quoi diable s'avisetil ? Se moquetil du monde ? Et l'amour atil été fait pour des gens bâtis comme lui ?

Cléante

Il a fallu, pour mes péchés, que cette passion lui soit venue en tête.

La Flèche

Mais par quelle raison lui faire un mystère de votre amour ?

Cléante

Pour lui donner moins de soupçon, et me conserver, au besoin, des ouvertures plus aisées pour détourner ce mariage. Quelle réponse t'aton faite ?

La Flèche

Ma foi, Monsieur, ceux qui empruntent sont bien malheureux ; et il faut essuyer d'étranges choses, lorsqu'on en est réduit à passer, comme vous, par les mains des fessematthieux .

Cléante

L'affaire ne se fera point ?

La Flèche

Pardonnezmoi. Notre maître Simon, le courtier qu'on nous a donné, homme agissant et plein de zèle, dit qu'il a fait rage pour vous, et il assure que votre seule physionomie lui a gagné le coeur.

Cléante

J'aurai les quinze mille francs que je demande ?

La Flèche

Oui ; mais à quelques petites conditions qu'il faudra que vous acceptiez, si vous avez dessein que les choses se fassent.

Cléante

T'atil fait parler à celui qui doit prêter l'argent ?

La Flèche

Ah ! vraiment, cela ne va pas de la sorte. Il apporte encore plus de soin à se cacher que vous ; et ce sont des mystères bien plus grands que vous ne pensez. On ne veut point du tout dire son nom ; et l'on doit aujourd'hui l'aboucher avec vous dans une maison empruntée, pour être instruit par votre bouche de votre bien et de votre famille ; et je ne doute point que le seul nom de votre père ne rende les choses faciles.

Cléante

Et principalement notre mère étant morte, dont on ne peut m'ôter le bien.

La Flèche

Voici quelques articles qu'il a dictés luimême à notre entremetteur, pour vous être montrés avant que de rien faire :

"Supposé que le prêteur voie toutes ses sûretés, et que l'emprunteur soit majeur et d'une famille où le bien soit ample, solide, assuré, clair, et net de tout embarras, on fera une bonne et exacte obligation pardevant un notaire, le plus honnête homme qu'il se pourra, et qui, pour cet effet sera choisi par le prêteur, auquel il importe le plus que l'acte soit dûment dressé."

Cléante

Il n'y a rien à dire à cela.

La Flèche

"Le prêteur, pour ne charger Sa conscience d'aucun scrupule, prétend ne donner son argent qu'au denier dixhuit. "

Cléante

Au denier dixhuit ? Parbleu, voilà qui est honnête ! Il n'y a pas lieu de se plaindre.

La Flèche

Cela est vrai.

"Mais, comme ledit prêteur n'a pas chez lui la somme dont il est question, et que, pour faire plaisir à l'emprunteur il est contraint luimême de l'emprunter d'un autre sur le pied du denier cinq , il conviendra que ledit premier emprunteur paye cet intérêt, sans préjudice du reste, attendu que ce n'est que pour l'obliger que ledit prêteur s'engage à cet emprunt."

Cléante

Comment diable ! Quel Juif, quel Arabe estce là ? C'est plus qu'au denier quatre .

La Flèche

Il est vrai ; c'est ce que j'ai dit. Vous avez à voir làdessus.

Cléante

Que veuxtu que je voie ? J'ai besoin d'argent, et il faut bien que je consente à tout.

La Flèche

C'est la réponse que j'ai faite.

Cléante

Il y a encore quelque chose ?

La Flèche

Ce n'est plus qu'un petit article.

"Des quinze mille francs qu'on demande, le prêteur ne pourra compter en argent que douze mille livres ; et, pour les mille écus restants, il faudra que l'emprunteur prenne les hardes, nippes, bijoux, dont s'ensuit le mémoire, et que ledit prêteur a mis, de bonne foi, au plus modique prix qu'il lui a été possible."

Cléante

Que veut dire cela ?

La Flèche

Ecoutez le mémoire :

"Premièrement, un lit de quatre pieds à bandes de point de Hongrie, appliquées fort proprement sur un drap de couleur d'olive, avec six chaises et la courtepointe de même : le tout bien conditionné, et doublé d'un petit taffetas changeant rouge et bleu. Plus, un pavillon à queue, d'une bonne serge d'Aumale rose sèche, avec le mollet et les franges de soie."

Cléante

Que veutil que je fasse de cela ?

La Flèche

Attendez.

> "Plus une tenture de tapisserie des Amours de Gombaud
> et de Macée.
> Plus, une grande table de bois de noyer, à douze colonnes
> ou piliers tournés, qui se tire par les deux bouts, et
> garnie par le dessous de ses six escabelles."

Cléante

Qu'aije affaire, morbleu... ?

La Flèche

Donnezvous patience.

"Plus trois gros mousquets tout garnis de nacre de perle, avec les trois fourchettes assortissantes . Plus un fourneau de brique, avec deux cornues et trois récipients, fort utiles à ceux qui sont curieux de distiller."

Cléante

J'enrage !

La Flèche

Doucement.

> "Plus, un luth de Bologne, garni de toutes ses cordes,
> ou peu s'en faut.
> Plus, un troumadame et un damier, avec un jeu de l'oie,
> renouvelé des Grecs, fort propres à passer le temps
> lorsque l'on n'a que faire.
> Plus, une peau d'un lézard de trois pieds et demi, remplie
> de foin ; curiosité agréable pour pendre au plancher d'une
> chambre.

Le tout, cidessus mentionné, valant loyalement plus de
quatre mille cinq cents livres, et rabaissé à la valeur
de mille écus par la discrétion du prêteur."

Cléante

Que la peste l'étouffe avec sa discrétion, le traître, le bourreau qu'il est ! Aton jamais
parlé d'une usure semblable, et n'estil pas content du furieux intérêt qu'il exige, sans
vouloir encore m'obliger à prendre pour trois mille livres les vieux rogatons qu'il
ramasse ? Je n'aurai pas deux cents écus de tout cela ; et cependant il faut bien me
résoudre à consentir à ce qu'il veut : car il est en état de me faire tout accepter, et il me
tient, le scélérat, le poignard sur la gorge.

La Flèche

Je vous vois, Monsieur, ne vous en déplaise, dans le grand chemin justement que tenait
Panurge pour se ruiner, prenant argent d'avance, achetant cher, vendant à bon marché
et mangeant son blé en herbe.

Cléante

Que veuxtu que j'y fasse ? Voilà où les jeunes gens sont réduits par la maudite avarice
des pères ; et on s'étonne, après cela, que les fils souhaitent qu'ils meurent !

La Flèche

Il faut convenir que le vôtre animerait contre sa vilenie le plus posé homme du monde.
Je n'ai pas, Dieu merci, les inclinations fort patibulaires ; et, parmi mes confrères que je
vois se mêler de beaucoup de petits commerces, je sais tirer adroitement mon épingle du
jeu, et me démêler prudemment de toutes les galanteries qui sentent tant soit peu
l'échelle ; mais, à vous dire vrai, il me donnerait, par ses procédés, des tentations de le
voler ; et je croirais, en le volant, faire une action méritoire.

Cléante

Donnemoi un peu ce mémoire, que je le voie encore.

Scène II.

Harpagon, Maître Simon ; Cléante et La Flèche dans le fond du théâtre.

Maître Simon

Oui, Monsieur, c'est un jeune homme qui a besoin d'argent ; ses affaires le pressent d'en trouver, et il en passera par tout ce que vous en prescrirez.

Harpagon

Mais croyezvous, maître Simon, qu'il n'y ait rien à péricliter ? et savezvous le nom, les biens et la famille de celui pour qui vous parlez ?

Maître Simon

Non. Je ne puis pas bien vous en instruire à fond ; et ce n'est que par aventure que l'on m'a adressé à lui ; mais vous serez de toutes choses éclairci par luimême, et son homme m'a assuré que vous serez content quand vous le connaîtrez. Tout ce que je saurais vous dire, c'est que sa famille est fort riche, qu'il n'a plus de mère déjà, et qu'il s'obligera, si vous voulez, que son père mourra avant qu'il soit huit mois.

Harpagon

C'est quelque chose que cela. La charité, maître Simon, nous oblige à faire plaisir aux personnes, lorsque nous le pouvons.

Maître Simon

Cela s'entend.

La Flèche

bas, à Cléante, reconnaissant maître Simon.

Que veut dire ceci ? Notre maître Simon qui parle à votre père !

Cléante

bas, à La Flèche.

Lui auraiton appris qui je suis ? et seraistu pour nous trahir ?

Maître Simon

à Cléante et à La Flèche.

Ah ! ah ! vous êtes bien pressés ! Qui vous a dit que c'était céans ?

À Harpagon.

Ce n'est pas moi, Monsieur, au moins, qui leur ai découvert votre nom et votre logis ; mais, à mon avis, il n'y a pas grand mal à cela : ce sont des personnes discrètes, et vous pouvez ici vous expliquer ensemble.

Harpagon

Comment ?

Maître Simon

montrant Cléante.

Monsieur est la personne qui veut vous emprunter les quinze mille livres dont je vous ai parlé.

Harpagon

Comment, pendard ! c'est toi qui t'abandonnes à ces coupables extrémités !

Cléante

Comment ! mon père, c'est vous qui vous portez à ces honteuses actions !

Maître Simon s'enfuit, et La Flèche va se cacher.

Scène III. Harpagon, Cléante.

Harpagon

C'est toi qui te veux ruiner par des emprunts si condamnables !

Cléante

C'est vous qui cherchez à vous enrichir par des usures si criminelles !

Harpagon

Oses-tu bien, après cela, paraître devant moi ?

Cléante

Osez-vous bien, après cela, vous présenter aux yeux du monde ?

Harpagon

N'as-tu point de honte, dis-moi, d'en venir à ces débauches-là, de te précipiter dans des dépenses effroyables, et de faire une honteuse dissipation du bien que tes parents t'ont amassé avec tant de sueurs ?

Cléante

Ne rougissez-vous point de déshonorer votre condition par les commerces que vous faites ; de sacrifier gloire et réputation au désir insatiable d'entasser écu sur écu, et de renchérir, en fait d'intérêts, sur les plus infâmes subtilités qu'aient jamais inventées les plus célèbres usuriers ?

Harpagon

Ôte-toi de mes yeux, coquin ! ôte-toi de mes yeux !

Cléante

Qui est plus criminel, à votre avis, ou celui qui achète un argent dont il a besoin, ou bien celui qui vole un argent dont il n'a que faire ?

Harpagon

Retiretoi, te disje, et ne m'échauffe pas les oreilles.

Seul.

Je ne suis pas fâché de cette aventure ; et ce m'est un avis de tenir l'oeil plus que jamais sur toutes ses actions.

Scène IV. Frosine, Harpagon.

Frosine

Monsieur...

Harpagon

Attendez un moment ; Je vais revenir vous parler.

A part.

Il est à propos que je fasse un petit tour à mon argent.

Scène V. La Flèche, Frosine.

La Flèche

sans voir Frosine.

L'aventure est tout à fait drôle ! Il faut bien qu'il ait quelque part un ample magasin de hardes, car nous n'avons rien reconnu au mémoire que nous avons.

Frosine

Hé ! c'est toi, mon pauvre la Flèche ! D'où vient cette rencontre ?

La Flèche

Ah ! ah ! c'est toi, Frosine ! Que vienstu faire ici ?

Frosine

Ce que je fais partout ailleurs : m'entremettre d'affaires, me rendre serviable aux gens, et profiter, du mieux qu'il m'est possible, des petits talents que je puis avoir. Tu sais que dans ce monde, il faut vivre d'adresse, et qu'aux personnes comme moi le ciel n'a donné d'autres rentes que l'intrigue et que l'industrie.

La Flèche

Astu quelque négoce avec le patron du logis ?

Frosine

Oui, je traite pour lui quelque petite affaire dont j'espère récompense.

La Flèche

De lui ? Ah ! ma foi, tu seras bien fine si tu en tires quelque chose, et je te donne avis que l'argent céans est fort cher.

Frosine

Il y a de certains services qui touchent merveilleusement.

La Flèche

Je suis votre valet ; et tu ne connais pas encore le seigneur Harpagon. Le seigneur Harpagon est de tous les humains l'humain le moins humain, le mortel de tous les mortels le plus dur et le plus serré. Il n'est point de service qui pousse sa reconnaissance jusqu'à lui faire ouvrir les mains. De la louange, de l'estime, de la bienveillance en paroles, et de l'amitié, tant qu'il vous plaira ; mais de l'argent, point d'affaires. Il n'est rien de plus sec et de plus aride que ses bonnes grâces et ses caresses ; et "donner" est un mot pour qui il a tant d'aversion, qu'il ne dit jamais, "Je vous donne", mais "Je vous prête le bonjour".

Frosine

Mon Dieu ! je sais l'art de traire les hommes ; j'ai le secret de m'ouvrir leur tendresse, de chatouiller leurs coeurs, de trouver les endroits par où ils sont sensibles.

La Flèche

Bagatelles ici. Je te défie d'attendrir du côté de l'argent l'homme dont il est question. Il est Turc làdessus, mais d'une turquerie à désespérer tout le monde ; et l'on pourrait crever, qu'il n'en branlerait pas. En un mot, il aime l'argent plus que réputation, qu'honneur, et que vertu ; et la vue d'un demandeur lui donne des convulsions : c'est le frapper par son endroit mortel, c'est lui percer le coeur, c'est lui arracher les entrailles ; et si... Mais il revient : je me retire.

Scène VI. Harpagon, Frosine.

Harpagon

bas.

Tout va comme il faut.

Haut.

Hé bien ! qu'estce, Frosine ?

Frosine

Ah ! mon Dieu, que vous vous portez bien, et que vous avez là un vrai visage de santé !

Harpagon

Qui ? moi ?

Frosine

Jamais je ne vous vis un teint si frais et si gaillard.

Harpagon

Tout de bon ?

Frosine

Comment ! vous n'avez de votre vie été si jeune que vous êtes ; et je vois des gens de vingtcinq ans qui sont plus vieux que vous.

Harpagon

Cependant, Frosine, j'en ai soixante bien comptés.

Frosine

Eh bien, qu'estce que cela, soixante ans ? Voilà bien de quoi ! C'est la fleur de l'âge, cela, et vous entrez maintenant dans la belle saison de l'homme.

Harpagon

Il est vrai ; mais vingt années de moins, pourtant, ne me feraient point de mal, que je crois.

Frosine

Vous moquezvous ? Vous n'avez pas besoin de cela, et vous êtes d'une pâte à vivre jusques à cent ans.

Harpagon

Tu le crois ?

Frosine

Assurément. Vous en avez toutes les marques. Tenezvous un peu. Oh ! que voilà bien là, entre vos deux yeux, un signe de longue vie !

Harpagon

Tu te connais à cela ?

Frosine

Sans doute. Montrezmoi votre main. Mon Dieu, quelle ligne de vie !

Harpagon

Comment ?

Frosine

Ne voyezvous pas jusqu'où va cette lignelà ?

Harpagon

Eh bien ! qu'estce que cela veut dire ?

Frosine

Par ma foi, je disais cent ans ; mais vous passerez les sixvingts.

Harpagon

Estil possible ?

Frosine

II faudra vous assommer, vous disje ; et vous mettrez en terre et vos enfants, et les enfants de vos enfants.

Harpagon

Tant mieux ! Comment va notre affaire ?

Frosine

Fautil le demander ? et me voiton mêler de rien dont je ne vienne à bout ? J'ai, surtout pour les mariages, un talent merveilleux. Il n'est point de partis au monde que je ne trouve en peu de temps le moyen d'accoupler ; et je crois, si je me l'étais mis en tête, que je marierais le Grand Turc avec la République de Venise. Il n'y avait pas, sans doute, de si grandes difficultés à cette affaireci. Comme j'ai commerce chez elles, je les ai à fond l'une et l'autre entretenues de vous ; et j'ai dit à la mère le dessein que vous aviez conçu pour Mariane, à la voir passer dans la rue et prendre l'air à sa fenêtre.

Harpagon

Qui a fait réponse...

Frosine

Elle a reçu la proposition avec joie ; et quand je lui ai témoigné que vous souhaitiez fort que sa fille assistât ce soir au contrat de mariage qui se doit faire de la vôtre, elle y a consenti sans peine, et me l'a confiée pour cela.

Harpagon

C'est que je suis obligé, Frosine, de donner à souper au seigneur
Anselme ; et je serai bien aise qu'elle soit du régal.
Frosine

Vous avez raison. Elle doit, après dîner, rendre visite à votre fille, d'où elle fait son compte d'aller faire un tour à la foire, pour venir ensuite au souper.

Harpagon

Eh bien, elles iront ensemble dans mon carrosse, que je leur prêterai.

Frosine

Voilà justement son affaire.

Harpagon

Mais, Frosine, astu entretenu la mère touchant le bien qu'elle peut donner à sa fille ? Lui astu dit qu'il fallait qu'elle s'aidât un peu, qu'elle fît quelque effort, qu'elle se saignât pour une occasion comme celleci ? Car encore n'épouseton point une fille sans qu'elle apporte quelque chose.

Frosine

Comment ! C'est une fille qui vous apportera douze mille livres de rente.

Harpagon

Douze mille livres de rente ?

Frosine

Oui. Premièrement, elle est nourrie et élevée dans une grande épargne de bouche. C'est une fille accoutumée à vivre de salade, de lait, de fromage et de pommes, et à laquelle, par conséquent, il ne faudra ni table bien servie, ni consommés exquis, ni orges mondés perpétuels, ni les autres délicatesses qu'il faudrait pour une autre femme ; et cela ne va pas à si peu de chose, qu'il ne monte bien, tous les ans, à trois mille francs pour le moins. Outre cela, elle n'est curieuse que d'une propreté fort simple, et n'aime point les superbes habits, ni les riches bijoux, ni les meubles somptueux, où donnent ses pareilles avec tant de chaleur ; et cet articlelà vaut plus de quatre mille livres par an. De plus, elle a une aversion horrible pour le jeu, ce qui n'est pas commun aux femmes d'aujourd'hui ; et j'en sais une de nos quartiers qui a perdu, à trente et quarante, vingt mille francs cette année. Mais n'en prenons rien que le quart. Cinq mille francs au jeu par an, et quatre mille francs en habits et bijoux, cela fait neuf mille livres, et mille écus que nous mettons pour la nourriture: ne voilàtil pas par année vos douze mille francs bien comptés ?

Harpagon

Oui ; cela n'est pas mal ; mais ce comptelà n'est rien de réel.

Frosine

Pardonnezmoi. N'estce pas quelque chose de réel que de vous apporter en mariage une grande sobriété, l'héritage d'un grand amour de simplicité de parure, et l'acquisition d'un grand fonds de haine pour le jeu ?

Harpagon

C'est une raillerie que de vouloir me constituer sa dot de toutes les dépenses qu'elle ne fera point. Je n'irai point donner quittance de ce que je ne reçois pas ; et il faut bien que je touche quelque chose.

Frosine

Mon Dieu ! vous toucherez assez ; et elles m'ont parlé d'un certain pays où elles ont du bien, dont vous serez le maître.

Harpagon

Il faudra voir cela. Mais Frosine, il y a encore une chose qui m'inquiète. La fille est jeune, comme tu vois, et les jeunes gens, d'ordinaire, n'aiment que leurs semblables, ne cherchent que leur compagnie : j'ai peur qu'un homme de mon âge ne soit pas de son goût, et que cela ne vienne à produire chez moi certains petits désordres qui ne m'accommoderaient pas.

Frosine

Ah ! que vous la connaissez mal ! C'est encore une particularité que j'avais à vous dire. Elle a une aversion épouvantable pour tous les jeunes gens, et n'a de l'amour que pour les vieillards.

Harpagon

Elle ?

Frosine

Oui, elle. Je voudrais que vous l'eussiez entendue parler làdessus. Elle ne peut souffrir du tout la vue d'un jeune homme ; mais elle n'est point plus ravie, ditelle, que lorsqu'elle peut voir un beau vieillard avec une barbe majestueuse. Les plus vieux sont pour elle les plus charmants ; et je vous avertis de n'aller pas vous faire plus jeune que vous êtes. Elle veut tout au moins qu'on soit sexagénaire ; et il n'y a pas quatre mois encore qu'étant prête d'être mariée, elle rompit tout net le mariage, sur ce que son amant fit voir qu'il n'avait que cinquantesix ans, et qu'il ne prit point de lunettes pour signer le contrat.

Harpagon

Sur cela seulement ?

Frosine

Oui. Elle dit que ce n'est pas contentement pour elle que cinquantesix ans ; et surtout elle est pour les nez qui portent des lunettes.

Harpagon

Certes, tu me dis là une chose toute nouvelle.

Frosine

Cela va plus loin qu'on ne vous peut dire. On lui voit dans sa chambre quelques tableaux et quelques estampes ; mais que pensezvous que ce soit ? Des Adonis, des Céphales, des Pâris, et des Apollons ? Non : de beaux portraits de Saturne, du roi Priam, du vieux Nestor, et du bon père Anchise, sur les épaules de son fils.

Harpagon

Cela est admirable. Voilà ce que je n'aurais jamais pensé, et je suis bien aise d'apprendre qu'elle est de cette humeur. En effet, si j'avais été femme, je n'aurais point aimé les jeunes hommes.

Frosine

Je le crois bien. Voilà de belles drogues que des jeunes gens, pour les aimer ! Ce sont de beaux morveux, de beaux godelureaux, pour donner envie de leur peau ! et je voudrais bien savoir quel ragoût il y a à eux !

Harpagon

Pour moi, je n'y en comprends point, et je ne sais pas comment il y a des femmes qui les aiment tant.

Frosine

Il faut être folle fieffée. Trouver la jeunesse aimable, estce avoir le sens commun ? Sontce des hommes que de jeunes blondins, et peuton s'attacher à ces animauxlà ?

Harpagon

C'est ce que je dis tous les jours : avec leur ton de poule laitée, et leurs trois petits brins de barbe relevés en barbe de chat, leurs perruques d'étoupes, leurs hautsdechausses tombants et leurs estomacs débraillés !

Frosine

Hé ! cela est bien bâti, auprès d'une personne comme vous ! Voilà un homme, cela ; il y a là de quoi satisfaire à la vue, et c'est ainsi qu'il faut être fait et vêtu pour donner de l'amour.

Harpagon

Tu me trouves bien ?

Frosine

Comment ! vous êtes à ravir, et votre figure est à peindre. Tournezvous un peu, s'il vous plaît. Il ne se peut pas mieux. Que je vous voie marcher. Voilà un corps taillé, libre, et dégagé comme il faut, et qui ne marque aucune incommodité.

Harpagon

Je n'en ai pas de grandes, Dieu merci. Il n'y a que ma fluxion qui me prend de temps en temps.

Frosine

Cela n'est rien. Votre fluxion ne vous sied point mal, et vous avez grâce à tousser.

Harpagon

Dismoi un peu : Mariane ne m'atelle point encore vu ? N'atelle point pris garde à moi en passant ?

Frosine

Non ; mais nous nous sommes fort entretenues de vous. Je lui ai fait un portrait de votre personne, et je n'ai pas manqué de lui vanter votre mérite et l'avantage que ce lui serait d'avoir un mari comme vous.

Harpagon

Tu as bien fait, et je t'en remercie.

Frosine

J'aurais, monsieur, une petite prière à vous faire. J'ai un procès que je suis sûr le point de perdre, faute d'un peu d'argent ;

Harpagon prend un air sérieux.

et vous pourriez facilement me procurer le gain de ce procès si vous aviez quelque bonté pour moi. Vous ne sauriez croire le plaisir qu'elle aura de vous voir.

Harpagon reprend un air gai.

Ah ! que vous lui plairez, et que votre fraise à l'antique fera sur son esprit un effet admirable ! Mais surtout elle sera charmée de votre hautdechausses attaché au pourpoint avec des aiguillettes. C'est pour la rendre folle de vous ; et un amant aiguilleté sera pour elle un ragoût merveilleux.

Harpagon

Certes, tu me ravis de me dire cela.

Frosine

En vérité, Monsieur, ce procès m'est d'une conséquence tout a fait grande.

Harpagon reprend son air sérieux.

Je suis ruinée si je le perds, et quelque petite assistance me rétablirait mes affaires... Je voudrais que vous eussiez vu le ravissement où elle était à m'entendre parler de vous.

Harpagon reprend son air gai.

La joie éclatait dans ses yeux au récit de vos qualités, et je l'ai mise enfin dans une impatience extrême de voir ce mariage entièrement conclu.

Harpagon

Tu m'as fait grand plaisir, Frosine ; et je t'en ai, je te l'avoue, toutes les obligations du monde.

Frosine

Je vous prie, Monsieur, de me donner le petit secours que je vous demande.

Harpagon reprend encore un air sérieux.

Cela me remettra sur pied, et je vous en serai éternellement obligée.

Harpagon

Adieu, je vais achever mes dépêches.

Frosine

Je vous assure, Monsieur, que vous ne sauriez jamais me soulager dans un plus grand besoin.

Harpagon

Je mettrai ordre que mon carrosse soit tout prêt pour vous mener à la foire.

Frosine

Je ne vous importunerais pas si je ne m'y voyais forcée par la nécessité.

 Harpagon

Et j'aurai soin qu'on soupe de bonne heure, pour ne vous point faire malades.

 Frosine

Ne me refusez pas la grâce dont je vous sollicite. Vous ne sauriez croire, Monsieur, le plaisir que...

 Harpagon

Je m'en vais. Voilà qu'on m'appelle. Jusqu'à tantôt.

 Frosine

seule.

Que la fièvre te serre, chien de vilain, à tous les diables ! Le ladre a été ferme à toutes mes attaques ; mais il ne me faut pas pourtant quitter la négociation ; et j'ai l'autre côté, en tout cas, d'où je suis assurée de tirer bonne récompense.

ACTE TROISIÈME.

Scène première.

Harpagon, Cléante, Élise, Valère, Dame Claude, tenant un balai ; Maître Jacques, La Merluche, Brindavoine.

Harpagon

Allons, venez çà tous, que je vous distribue mes ordres pour tantôt et règle à chacun son emploi. Approchez, dame Claude ; commençons par vous. Bon, vous voilà les armes à la main. Je vous commets au soin de nettoyer partout ; et surtout prenez garde de ne point frotter les meubles trop fort, de peur de les user. Outre cela, je vous constitue, pendant le souper, au gouvernement des bouteilles ; et, s'il s'en écarte quelqu'une, et qu'il se casse quelque chose, je m'en prendrai à vous et le rabattrai sur vos gages.

Maître Jacques

à part.

Châtiment politique.

Harpagon

à Dame Claude.

Allez.

Scène II.

Harpagon, Cléante, Élise, Valère, Maître Jacques, Brindavoine, La Merluche.

Harpagon

Vous, Brindavoine, et vous, la Merluche, je vous établis dans la charge de rincer les verres et de donner à boire, mais seulement lorsque l'on aura soif, et non pas selon la coutume de certains impertinents de laquais, qui viennent provoquer les gens, et les faire aviser de boire lorsqu'on n'y songe pas. Attendez qu'on vous en demande plus d'une fois, et vous ressouvenez de porter toujours beaucoup d'eau.

Maître Jacques

à part.

Oui. Le vin pur monte à la tête.

La Merluche

Quitteronsnous nos souquenilles, monsieur ?

Harpagon

Oui, quand vous verrez venir les personnes ; et gardez bien de gâter vos habits.

Brindavoine

Vous savez bien, Monsieur, qu'un des devants de mon pourpoint est couvert d'une grande tache de l'huile de la lampe.

La Merluche

Et, moi, Monsieur, que j'ai mon hautdechausses tout troué parderrière, et qu'on me voit, révérence parler...

Harpagon

à la Merluche.

Paix ! Rangez cela adroitement du côté de la muraille, et présentez toujours le devant au monde.

A Brindavoine, en lui montrant comment il doit mettre
son chapeau audevant de son pourpoint, pour cacher
la tache d'huile.
Et vous, tenez toujours votre chapeau ainsi, lorsque vous servirez.

Scène III.

Harpagon, Cléante, Élise, Valère, Maître Jacques.

Harpagon

Pour vous, ma fille, vous aurez l'oeil sur ce que l'on desservira, et prendrez garde qu'il ne s'en fasse aucun dégât : cela sied bien aux filles. Mais cependant préparezvous à bien recevoir ma maîtresse, qui vous doit venir visiter et vous mener avec elle à la foire. Entendezvous ce que je vous dis ?

Élise

Oui, mon père.

Harpagon

Oui, nigaude.

Scène IV.

Harpagon, Cléante, Valère, Maître Jacques.

Harpagon

Et vous, mon fils le damoiseau, à qui j'ai la bonté de pardonner l'histoire de tantôt, ne vous allez pas aviser non plus de lui faire mauvais visage.

Cléante

Moi, mon père ? mauvais visage ! Et par quelle raison ?

Harpagon

Mon Dieu, nous savons le train des enfants dont les pères se remarient, et de quel oeil ils ont coutume de regarder ce qu'on appelle bellemère ; mais si vous souhaitez que je perde le souvenir de votre dernière fredaine, je vous recommande surtout de régaler d'un bon visage cette personnelà, et de lui faire enfin tout le meilleur accueil qu'il vous sera possible.

Cléante

A vous dire le vrai, mon père, je ne puis pas vous promettre d'être bien aise qu'elle devienne ma bellemère : je mentirais si je vous le disais ; mais pour ce qui est de la bien recevoir et de lui faire bon visage, je vous promets de vous obéir ponctuellement sur ce chapitre.

Harpagon

Prenezy garde au moins.

Cléante

Vous verrez que vous n'aurez pas sujet de vous en plaindre.

Harpagon

Vous ferez sagement.

Scène V.

Harpagon, Valère, Maître Jacques.

Harpagon

Valère, aidemoi à ceci. Oh çà, maître Jacques, approchezvous ; je vous ai gardé pour le dernier.

Maître Jacques

Estce à votre cocher, Monsieur, ou bien à votre cuisinier, que vous voulez parler ? car je suis l'un et l'autre.

Harpagon

C'est à tous les deux.

Maître Jacques

Mais à qui des deux le premier ?

Harpagon

Au cuisinier.

Maître Jacques

Attendez donc, s'il vous plaît.

Maître Jacques ôte sa casaque de cocher, et paraît vêtu en cuisinier.

Harpagon

Quelle diantre de cérémonie estce là ?

Maître Jacques

Vous n'avez qu'à parler.

Harpagon

Je me suis engagé, maître Jacques, à donner ce soir à souper.

Maître Jacques

à part.

Grande merveille !

Harpagon

Dismoi un peu : nous ferastu bonne chère ?

Maître Jacques

Oui, Si vous me donnez bien de l'argent.

Harpagon

Que diable, toujours de l'argent ! Il semble qu'ils n'aient autre chose à dire : De l'argent, de l'argent, de l'argent ! Ah ! ils n'ont que ce mot à la bouche, de l'argent ! toujours parler d'argent ! Voilà leur épée de chevet , de l'argent !

Valère

Je n'ai jamais vu de réponse plus impertinente que cellelà. Voilà une belle merveille que de faire bonne chère avec bien de l'argent ! C'est une chose la plus aisée du monde, et il n'y a si pauvre esprit qui n'en fît bien autant ; mais, pour agir en habile homme, il faut parler de faire bonne chère avec peu d'argent.

Maître Jacques

Bonne chère avec peu d'argent !

Valère

Oui.

Maître Jacques

à Valère.

Par ma foi, Monsieur l'intendant, vous nous obligerez de nous faire voir ce secret, et de prendre mon office de cuisinier ; aussi bien vous mêlezvous céans d'être le factotum.

Harpagon

Taisezvous. Qu'estce qu'il nous faudra ?

Maître Jacques

Voilà monsieur votre intendant qui vous fera bonne chère pour peu d'argent.

Harpagon

Haye ! Je veux que tu me répondes.

Maître Jacques

Combien serezvous de gens à table ?

Harpagon

Nous serons huit ou dix ; mais il ne faut prendre que huit : quand il y a à manger pour huit, il y en a bien pour dix.

Valère

Cela s'entend.

Maître Jacques

Eh bien ! il faudra quatre grands potages et cinq assiettes...
Potages... Entrées.
Harpagon

Que diable ! voilà pour traiter toute une ville entière.

Maître Jacques

Rôt...

Harpagon

mettant la main sur la bouche de maître Jacques.

Ah ! traître, tu manges tout mon bien.

Maître Jacques

Entremets...

Harpagon

mettant encore la main sur la bouche de maître Jacques.

Encore ?

Valère

à maître Jacques.

Estce que vous avez envie de faire crever tout le monde ? et Monsieur atil invité des gens pour les assassiner à force de mangeaille ? Allezvousen lire un peu les préceptes de la santé, et demander aux médecins s'il y a rien de plus préjudiciable à l'homme que de manger avec excès.

Harpagon

Il a raison.

Valère

Apprenez, maître Jacques, vous et vos pareils, que c'est un coupegorge qu'une table remplie de trop de viandes ; que pour se bien montrer ami de ceux que l'on invite, il faut que la frugalité règne dans les repas qu'on donne ; et que, suivant le dire d'un ancien, "il faut manger pour vivre, et non pas vivre pour manger" .

Harpagon

Ah ! que cela est bien dit ! Approche, que je t'embrasse pour ce mot. Voilà la plus belle sentence que j'aie entendue de ma vie : "Il faut vivre pour manger, et non pas manger pour vi..." Non, ce n'est pas cela. Comment estce que tu dis ?

Valère

Qu'"il faut manger pour vivre, et non pas vivre pour manger."

Harpagon

à maître Jacques.

Oui. Entendstu ?

À Valère.

Qui est le grand homme qui a dit cela ?

Valère

Je ne me souviens pas maintenant de son nom.

Harpagon

Souvienstoi de m'écrire ces mots : je les veux faire graver en lettres d'or sur la cheminée de ma salle.

Valère

Je n'y manquerai pas. Et, pour votre souper, vous n'avez qu'à me laisser faire : je réglerai tout cela comme il faut.

Harpagon

Fais donc.

Maître Jacques

Tant mieux ! j'en aurai moins de peine.

Harpagon

à Valère.

Il faudra de ces choses dont on ne mange guère, et qui rassasient d'abord : quelque bon haricot bien gras, avec quelque pâté en pot bien garni de marrons.

Valère

Reposezvous sur moi.

Harpagon

Maintenant, maître Jacques, il faut nettoyer mon carrosse.

Maître Jacques

Attendez. Ceci s'adresse au cocher.

Il remet sa casaque.

Vous dites...

Harpagon

Qu'il faut nettoyer mon carrosse, et tenir mes chevaux tout prêts pour conduire à la foire...

Maître Jacques

Vos chevaux, Monsieur ? Ma foi ! ils ne sont point du tout en état de marcher. Je ne vous dirai point qu'ils sont sur la litière : les pauvres bêtes n'en ont point, et ce serait fort mal parler ; mais vous leur faites observer des jeûnes si austères, que ce ne sont plus rien que des idées ou des fantômes, des façons de chevaux.

Harpagon

Les voilà bien malades ! ils ne font rien.

Maître Jacques

Et, pour ne faire rien, Monsieur, estce qu'il ne faut rien manger ? Il leur vaudrait bien mieux, les pauvres animaux, de travailler beaucoup, de manger de même. Cela me fend le coeur de les voir ainsi exténués ; car, enfin, j'ai une tendresse pour mes chevaux, qu'il me semble que c'est moimême, quand je les vois pâtir. Je m'ôte tous les jours pour eux les choses de la bouche, et c'est être, Monsieur, d'un naturel trop dur, que de n'avoir nulle pitié de son prochain.

Harpagon

Le travail ne sera pas grand d'aller jusqu'à la foire.

Maître Jacques

Non, je n'ai pas le courage de les mener ; et je ferais conscience de leur donner des coups de fouet, en l'état où ils sont. Comment voudriezvous qu'ils traînassent un carrosse, qu'ils ne peuvent pas se traîner euxmêmes.

Valère

Monsieur, j'obligerai le voisin le Picard à se charger de les conduire : aussi bien nous feratil ici besoin pour apprêter le souper.

Maître Jacques

Soit. J'aime mieux encore qu'ils meurent sous la main d'un autre que sous la mienne.

Valère

Maître Jacques fait bien le raisonnable !

Maître Jacques

Monsieur l'intendant fait bien le nécessaire !

Harpagon

Paix !

Maître Jacques

Monsieur, je ne saurais souffrir les flatteurs ; et je vois que ce qu'il en fait, que ses contrôles perpétuels sur le pain et le vin, le bois, le sel et la chandelle, ne sont rien que pour vous gratter et vous faire sa cour. J'enrage de cela, et je suis fâché tous les jours d'entendre ce qu'on dit de vous : car, enfin, je me sens pour vous de la tendresse, en dépit que j'en aie ; et, après mes chevaux, vous êtes la personne que j'aime le plus.

Harpagon

Pourraisje savoir de vous, maître Jacques, ce que l'on dit de moi ?

Maître Jacques

Oui, monsieur, si j'étais assuré que cela ne vous fâchât point.

Harpagon

Non, en aucune façon.

Maître Jacques

Pardonnezmoi ; je sais fort bien que je vous mettrais en colère.

Harpagon

Point du tout ; au contraire, c'est me faire plaisir, et je suis bien aise d'apprendre comme on parle de moi.

Maître Jacques

Monsieur, puisque vous le voulez, je vous dirai franchement qu'on se moque partout de vous, qu'on nous jette de tous côtés cent brocards à votre sujet, et que l'on n'est point plus ravi que de vous tenir au cul et aux chausses, et de faire sans cesse des contes de votre lésine. L'un dit que vous faites imprimer des almanachs particuliers, où vous faites doubler les quatretemps et les vigiles, afin de profiter des jeûnes où vous obligez votre monde ; l'autre, que vous avez toujours une querelle toute prête à faire à vos valets dans le temps des étrennes ou de leur sortie d'avec vous, pour vous trouver une raison de ne leur donner rien. Celuilà conte qu'une fois vous fîtes assigner le chat d'un de vos voisins, pour vous avoir mangé un reste d'un gigot de mouton ; celuici, que l'on vous surprit, une nuit, en venant dérober vousmême l'avoine de vos chevaux ; et que votre cocher, qui était celui d'avant moi, vous donna, dans l'obscurité, je ne sais combien de coups de bâton, dont vous ne voulûtes rien dire. Enfin, voulezvous que je vous dise ? On ne saurait aller nulle part où l'on ne vous entende accommoder de toutes pièces. Vous êtes la fable et la risée de tout le monde ; et jamais on ne parle de vous que sous les noms d'avare, de ladre, de vilain et de fessemathieu.

 Harpagon

en battant maître Jacques.

Vous êtes un sot, un maraud, un coquin, et un impudent.

 Maître Jacques

Eh bien, ne l'avais je pas deviné ? Vous ne m'avez pas voulu croire. Je vous l'avais bien dit que je vous fâcherais de vous dire la vérité.
 Harpagon

Apprenez à parler.

Scène VI.

Valère, Maître Jacques.

Valère

riant.

À ce que je puis voir, maître Jacques, on paie mal votre franchise.

Maître Jacques

Morbleu ! Monsieur le nouveau venu, qui faites l'homme d'importance, ce n'est pas votre affaire. Riez de vos coups de bâton quand on vous on donnera, et ne venez point rire des miens.

Valère

Ah ! Monsieur maître Jacques, ne vous fâchez pas, je vous prie.

Maître Jacques

à part.

Il file doux. Je veux faire le brave, et, s'il est assez sot pour me craindre, le frotter quelque peu.

Haut.

Savezvous bien, Monsieur le rieur, que je ne ris pas, moi, et que si vous m'échauffez la tête, je vous ferai rire d'une autre sorte ?

Maître Jacques pousse Valère jusqu'au bout du théâtre
en le menaçant.

Valère

Hé ! doucement.

Maître Jacques

Comment, doucement ? Il ne me plaît pas, moi.

Valère

De grâce !

Maître Jacques

Vous êtes un impertinent.

Valère

Monsieur maître Jacques !

Maître Jacques

Il n'y a point de monsieur maître Jacques pour un double . Si je prends un bâton, je vous rosserai d'importance.

Valère

Comment ! un bâton ?

Valère le fait reculer autant qu'il l'a fait.

Maître Jacques

Hé ! je ne parle pas de cela.

Valère

Savezvous bien, Monsieur le fat, que je suis homme à vous rosser vousmême ?

Maître Jacques

Je n'en doute pas.

Valère

Que vous n'êtes, pour tout potage, qu'un faquin de cuisinier ?

Maître Jacques

Je le sais bien.

Valère

Et que vous ne me connaissez pas encore ?

Maître Jacques

Pardonnezmoi.

Valère

Vous me rosserez, ditesvous ?

Maître Jacques

Je le disais en raillant.

Valère

Et moi, je ne prends point de goût à votre raillerie.

Donnant des coups de bâton à maître Jacques.

Apprenez que vous êtes un mauvais railleur.

Maître Jacques

seul.

Peste soit la sincérité ! c'est un mauvais métier : désormais j'y renonce, et je ne veux plus dire vrai. Passe encore pour mon maître, il a quelque droit de me battre ; mais, pour ce monsieur l'intendant, je m'en vengerai si je le puis.

Scène VII.

Mariane, Frosine, Maître Jacques.

Frosine

Savezvous, maître Jacques, si votre maître est au logis ?

Maître Jacques

Oui, vraiment il y est : je ne le sais que trop.

Frosine

Diteslui, je vous prie, que nous sommes ici.

Maître Jacques

Ah ! nous voilà pas mal !

Scène VIII.

Mariane, Frosine.

Mariane

Ah ! que je suis, Frosine, dans un étrange état ! et, s'il faut dire ce que je sens, que j'appréhende cette vue !

Frosine

Mais pourquoi, et quelle est votre inquiétude ?

Mariane

Hélas ! me le demandezvous ? et ne vous figurezvous point les alarmes d'une personne toute prête à voir le supplice où l'on veut l'attacher ?

Frosine

Je vois bien que, pour mourir agréablement, Harpagon n'est pas le supplice que vous voudriez embrasser ; et je connais, à votre mine, que le jeune blondin dont vous m'avez parlé vous revient un peu dans l'esprit.

Mariane

Oui. C'est une chose, Frosine, dont je ne veux pas me défendre ; et les visites respectueuses qu'il a rendues chez nous ont fait, je vous l'avoue, quelque effet dans mon âme.

Frosine

Mais avezvous su quel il est ?

Mariane

Non, je ne sais point quel il est. Mais je sais qu'il est fait d'un air à se faire aimer ; que, si l'on pouvait mettre les choses à mon choix, je le prendrais plutôt qu'un autre, et qu'il ne contribue pas peu à me faire trouver un tourment effroyable dans l'époux qu'on veut me donner.

Frosine

Mon Dieu, tous ces blondins sont agréables, et débitent fort bien leur fait ; mais la plupart sont gueux comme des rats : il vaut mieux, pour vous, de prendre un vieux mari qui vous donne beaucoup de bien. Je vous avoue que les sens ne trouvent pas si bien leur compte du côté que je dis, et qu'il y a quelques petits dégoûts à essuyer avec un tel époux ; mais cela n'est pas pour durer ; et sa mort, croyezmoi, vous mettra bientôt en état d'en prendre un plus aimable, qui réparera toutes choses.

Mariane

Mon Dieu ! Frosine, c'est une étrange affaire, lorsque pour être heureuse, il faut souhaiter ou attendre le trépas de quelqu'un ; et la mort ne suit pas tous les projets que nous faisons.

Frosine

Vous moquezvous ? Vous ne l'épousez qu'aux conditions de vous laisser veuve bientôt ; et ce doit être là un des articles du contrat. Il serait bien impertinent de ne pas mourir dans trois mois ! Le voici en propre personne.

Mariane

Ah ! Frosine, quelle figure !

Scène IX.

Harpagon, Mariane, Frosine.

Harpagon

à Mariane.

Ne vous offensez pas, ma belle, si je viens à vous avec des lunettes. Je sais que vos appas frappent assez les yeux, sont assez visibles d'euxmêmes, et qu'il n'est pas besoin de lunettes pour les apercevoir ; mais enfin, c'est avec des lunettes qu'on observe les astres, et je maintiens et garantis que vous êtes un astre, mais un astre, le plus bel astre qui soit dans le pays des astres. Frosine, elle ne répond mot et ne témoigne, ce me semble, aucune joie de me voir.

Frosine

C'est qu'elle est encore toute surprise ; et, puis les filles ont toujours honte à témoigner d'abord ce qu'elles ont dans l'âme.

Harpagon

à Frosine.

Tu as raison.

A Mariane.

Voilà, belle mignonne, ma fille qui vient vous saluer.

Scène X.

Harpagon, Élise, Mariane, Frosine.

Mariane

Je m'acquitte bien tard, Madame, d'une telle visite.

Élise

Vous avez fait, Madame, ce que je devais faire, et c'était à moi de vous prévenir.

Harpagon

Vous voyez qu'elle est grande ; mais mauvaise herbe croît toujours.

Mariane

bas, à Frosine.

Oh ! l'homme déplaisant !

Harpagon

bas, à Frosine.

Que dit la belle ?

Frosine

Qu'elle vous trouve admirable.

Harpagon

C'est trop d'honneur que vous me faites, adorable mignonne.

Mariane

à part.

Quel animal !

Harpagon

Je vous suis trop obligé de ces sentiments.

Mariane

à part.

Je n'y puis plus tenir.

Scène XI.

Harpagon, Mariane, Élise, Cléante, Valère, Frosine,

Brindavoine.
 Harpagon

Voici mon fils aussi qui vous vient faire la révérence.

 Mariane

bas, à Frosine.

Ah ! Frosine, quelle rencontre ! C'est justement celui dont je t'ai parlé.

 Frosine

à Mariane.

L'aventure est merveilleuse.

 Harpagon

Je vois que vous vous étonnez de me voir de si grands enfants ; mais je serai bientôt défait et de l'un et de l'autre.

 Cléante

à Mariane.

Madame, à vous dire le vrai, c'est ici une aventure où, sans doute, je ne m'attendais pas ; et mon père ne m'a pas peu surpris lorsqu'il m'a dit tantôt le dessein qu'il avait formé.

 Mariane

Je puis dire la même chose. C'est une rencontre imprévue, qui m'a surprise autant que vous ; et je n'étais point préparée à une pareille aventure.

 Cléante

Il est vrai que mon père, Madame, ne peut pas faire un plus beau choix, et que ce m'est une sensible joie que l'honneur de vous voir ; mais, avec tout cela, je ne vous assurerai point que je me réjouis du dessein où vous pourriez être de devenir ma bellemère. Le compliment, je vous l'avoue, est trop difficile pour moi, et c'est un titre, s'il vous plaît, que je ne vous souhaite point. Ce discours paraîtra brutal aux yeux de quelquesuns ; mais je suis assuré que vous serez personne à le prendre comme il faudra ; que c'est un mariage, Madame, où vous vous imaginez bien que je dois avoir de la répugnance ; que vous n'ignorez pas, sachant ce que je suis, comme il choque mes intérêts, et que vous voulez bien enfin que je vous dise, avec la permission de mon père, que, si les choses dépendaient de moi, cet hymen ne se ferait point.

Harpagon

Voilà un compliment bien impertinent ! Quelle belle confession à lui faire !

Mariane

Et moi, pour vous répondre, j'ai à vous dire que les choses sont fort égales ; et que si vous auriez de la répugnance à me voir votre bellemère, je n'en aurais pas moins, sans doute, à vous voir mon beaufils. Ne croyez pas, je vous prie, que ce soit moi qui cherche à vous donner cette inquiétude. Je serais fort fâchée de vous causer du déplaisir ; et si je ne m'y vois forcée par une puissance absolue, je vous donne ma parole que je ne consentirai point au mariage qui vous chagrine.

Harpagon

Elle a raison. A sot compliment, il faut une réponse de même. Je vous demande pardon, ma belle, de l'impertinence de mon fils : c'est un jeune sot qui ne sait pas encore la conséquence des paroles qu'il dit.

Mariane

Je vous promets que ce qu'il m'a dit ne m'a point du tout offensée ; au contraire, il m'a fait plaisir de m'expliquer ainsi ses véritables sentiments. J'aime de lui un aveu de la sorte ; et s'il avait parlé d'autre façon, je l'en estimerais bien moins.

Harpagon

C'est beaucoup de bonté à vous de vouloir ainsi excuser ses fautes. Le temps le rendra plus sage, et vous verrez qu'il changera de sentiments.

Cléante

Non, mon père, je ne suis pas capable d'en changer, et je prie instamment Madame de le croire.

Harpagon

Mais voyez quelle extravagance ! il continue encore plus fort.

Cléante

Voulezvous que je trahisse mon coeur ?

Harpagon

Encore ! Avezvous envie de changer de discours ?

Cléante

Eh bien, puisque vous voulez que je parle d'autre façon, souffrez, Madame, que je me mette ici à la place de mon père, et que je vous avoue que je n'ai rien vu dans le monde de si charmant que vous ; que je ne conçois rien d'égal au bonheur de vous plaire, et que le titre de votre époux est une gloire, une félicité que je préférerais aux destinées des plus grands princes de la terre. Oui, Madame, le bonheur de vous posséder est, à mes regards, la plus belle de toutes les fortunes ; c'est où j'attache toute mon ambition. Il n'y a rien que je ne sois capable de faire pour une conquête si précieuse ; et les obstacles les plus puissants...

Harpagon

Doucement, mon fils, s'il vous plaît.

Cléante

C'est un compliment que je fais pour vous à Madame.

Harpagon

Mon Dieu, j'ai une langue pour m'expliquer moimême, et je n'ai pas besoin d'un interprète comme vous. Allons, donnez des sièges.

Frosine

Non ; il vaut mieux que de ce pas nous allions à la foire, afin d'en revenir plus tôt et d'avoir tout le temps ensuite de nous entretenir.

Harpagon

à Brindavoine.

Qu'on mette donc les chevaux au carrosse.

Scène XII.

Harpagon, Mariane, Élise, Cléante, Valère, Frosine.

Harpagon

à Mariane.

Je vous prie de m'excuser, ma belle, si je n'ai pas songé a vous donner un peu de collation avant que de partir.

Cléante

J'y ai pourvu, mon père, et j'ai fait apporter ici quelques bassins d'oranges de la Chine, de citrons doux, et de confitures, que j'ai envoyé quérir de votre part.

Harpagon

bas, à Valère.

Valère !

Valère

à Harpagon.

Il a perdu le sens.

Cléante

Estce que vous trouvez, mon père, que ce ne soit pas assez ? Madame aura la bonté d'excuser cela, s'il vous plaît.

Mariane

C'est une chose qui n'était pas nécessaire.

Cléante

Avezvous jamais vu, madame, un diamant plus vif que celui que vous voyez que mon père a au doigt ?

Mariane

Il est vrai qu'il brille beaucoup.

Cléante

ôtant du doigt de son père le diamant, et le donnant à Mariane

Il faut que vous le voyiez de près.

Mariane

Il est fort beau, sans doute, et jette quantité de feux.

Cléante

se mettant audevant de Mariane, qui veut rendre le diamant.

Nenni. Madame, il est en de trop belles mains. C'est un présent que mon père vous fait.

Harpagon

Moi !

Cléante

N'estil pas vrai, mon père, que vous voulez que Madame le garde pour l'amour de vous ?

Harpagon

bas, à son fils.

Comment ?

Cléante

à Mariane.

Belle demande ! Il me fait signe de vous le faire accepter.

Mariane

Je ne veux point...

Cléante

à Mariane.

Vous moquezvous ? Il n'a garde de le reprendre.

Harpagon

à part.

J'enrage !

Mariane

Ce serait...

Cléante

empêchant toujours Mariane de rendre la bague.

Non, vous disje, c'est l'offenser.

Mariane

De grâce...

Cléante

Point du tout.

Harpagon

à part.

Peste soit...

Cléante

Le voilà qui se scandalise de votre refus.

Harpagon

bas, à son fils.

Ah ! traître !

Cléante

à Mariane.

Vous voyez qu'il se désespère.

Harpagon

bas, à son fils, en le menaçant.

Bourreau que tu es !

Cléante

Mon père, ce n'est pas ma faute. Je fais ce que je puis pour l'obliger à la garder ; mais elle est obstinée.

Harpagon

bas, à son fils en le menaçant.

Pendard !

Cléante

Vous êtes cause, Madame, que mon père me querelle.

Harpagon

bas, à son fils, avec les mêmes gestes.

Le coquin !

Cléante

Vous le ferez tomber malade. De grâce, Madame, ne résistez point davantage.

Frosine

à Mariane.

Mon Dieu ! que de façons ! Gardez la bague, puisque monsieur le veut.

Mariane

à Harpagon.

Pour ne vous point mettre en colère, je la garde maintenant, et je prendrai un autre temps pour vous la rendre.

Scène XIII.

Harpagon, Mariane, Élise, Cléante, Valère, Frosine, Brindavoine.

Brindavoine

Monsieur, il y a là un homme qui veut vous parler.

Harpagon

Dislui que je suis empêché, et qu'il revienne une autre fois.

Brindavoine

Il dit qu'il vous apporte de l'argent.

Harpagon

Je vous demande pardon. Je reviens tout à l'heure.

Scène XIV.

Harpagon, Mariane, Élise, Cléante, Valère, Frosine, La Merluche.

La Merluche

courant et faisant tomber Harpagon.

Monsieur...

Harpagon

Ah ! je suis mort.

Cléante

Qu'estce, mon père ? Vous êtesvous fait mal ?

Harpagon

Le traître assurément a reçu de l'argent de mes débiteurs pour me faire rompre le cou.

Valère

à Harpagon.

Cela ne sera rien.

La Merluche

à Harpagon.

Monsieur, je vous demande pardon ; je croyais bien faire d'accourir vite.

Harpagon

Que vienstu faire ici, bourreau ?

La Merluche

Vous dire que vos deux chevaux sont déferrés.

Harpagon

Qu'on les mène promptement chez le maréchal.

Cléante

En attendant qu'ils soient ferrés, je vais faire pour vous, mon père, les honneurs de votre logis, et conduire madame dans le jardin où je ferai porter la collation.

Scène XV.

Harpagon, Valère.

Harpagon

Valère, aie un peu l'oeil à tout cela, et prends soin, je te prie, de m'en sauver le plus que tu pourras, pour le renvoyer au marchand.

Valère

C'est assez.

Harpagon

seul.

Ô fils impertinent ! astu envie de me ruiner ?

Milton Keynes UK
Ingram Content Group UK Ltd.
UKHW050718181023
430840UK00009B/305

9 791041 838400